Primera edición en el Perú

ANTONIA RATONA
Título original:
Amélie la Souris

Traducción:
David Cáceres González / Martha Muñoz

Coordinación de la edición en lengua española:
Cristina Rodríguez Fischer

© Éditions Gallimard, Francia, 2001

De esta coedición:
© Art Blume, S.L., 2011
Av. Mare de Déu de Lorda, 20 - 08034 Barcelona, España
www.blume.net
© Grupo Editorial PEISA S.A.C., 2011
Av. Las Camelias 710, piso 9, San Isidro. Lima 27, Perú
info@peisa.com.pe

Autor e ilustrador:
Antoon Krings

Tiraje: 16,000 ejemplares
ISBN N.º 978-612-305-002-3
Registro de Proyecto Editorial N.º 31501311101525
Hecho el depósito legal en la Biblioteca Nacional del Perú N.º 2011-07571

Impresión:
Cecosami Preprensa e Impresión Digital S.A.
Calle Los Plateros 142, Urbanización El Artesano
Ate - Lima 3, Perú.

Antonia Ratona

Bichitos Curiosos

Antoon Krings

Bajo el tejado remendado del gallinero, entre viejas piedras y vigas cubiertas de musgo, vivía una ratoncita que se llamaba Antonia.

Era tan menuda y tan lista que nadie se había percatado de su existencia. La pícara ratoncita esperaba impaciente, desde el primer cocorocó, a que las gallinas dejaran sus puestos y salieran al corral. Recién entonces bajaba.

Una vez en el suelo, hurgaba con sus manitos hasta encontrar algunos granos o unas migas de pan. Enseguida, por miedo a que la descubrieran, se escurría velozmente hasta los nidos, donde recogía suaves plumas que guardaba en su delantal y, al más mínimo ruido, desaparecía en un santiamén bajo la paja del gallinero.

A veces, un poco más atrevida, se arriesgaba a ir al Jardín. Allí siempre había una bella flor que contemplar, un maravilloso perfume que disfrutar. Aquel día de primavera, la alegría de la naturaleza lo inundaba todo. Con el corazón ligero y los bolsillos llenos, Antonia regresó a casa sin imaginarse la sorpresa que le esperaba.

Trepó por la escalera del gallinero y, al llegar a su escondite, descubrió, horrorizada y estupefacta, que una masa de barro cubría las paredes y que todas sus pertenencias estaban hechas un desastre.

Intentaba poner un poco de orden cuando, de repente, sintió un batir de alas, y una sombra le pasó justo por encima de la cabeza. Antonia gritó aterrorizada y al bajar rodó por la escalera a tal velocidad que se metió entre las patas del gallo, que no tuvo tiempo de protestar porque, en medio de brincos y volteretas, la ratoncita desapareció en el Jardín. Estaba tan contrariada que no paraba de murmurar:

—¡Dios mío!, ¡Dios mío!, ¡Dios mío!

—¡Por el amor de Dios! ¿Qué te ha pasado ratoncita? —exclamó Rosaura Musaraña, que llevaba un rato observando a Antonia desde su ventana.

—¡Esto es horrible! ¡Es para perder la cabeza! A alguien le ha parecido divertido llenar de barro las paredes de mi casa. Y luego un pájaro de mal agüero ha pasado a toda velocidad rozándome…

Al oírle decir eso, Rosaura estalló de la risa:

—¡Todo lo contrario! Es algo maravilloso. La buena suerte ha tocado a tu puerta, ratoncita. Y ha decidido hacer allí su nido, ¡un nido de golondrina! ¡Ni se te ocurra echarla, déjala entrar!

Nerviosa, Antonia volvió rápidamente a casa e hizo lo que la musaraña le había aconsejado. Dejó la puerta totalmente abierta y compartió su hogar con las golondrinas. Sin dejar de pensar en su buena suerte, cada mañana Antonia limpiaba, barría y quitaba el polvo, mientras las constructoras iban y venían volando, sin parar un momento.

«Si esta es la buena suerte, es un poco pesada», suspiraba la ratoncita. Pero no se atrevía a decir nada para no enfadar a sus invitadas. Además, el dulce trinar de las aves anunciaba ya un feliz acontecimiento.

Por desgracia, el nacimiento de los polluelos de golondrina sólo trajo más problemas y molestias. Chillaban tan fuerte a cada bocado y los padres hacían tal estruendo, que Antonia se hartó y decidió irse del gallinero.

«Lo primero que tengo que hacer», se dijo a sí misma sintiéndose desamparada, «es encontrar un lugar abrigado donde pasar la noche».

Pero nadie, ni siquiera la musaraña, parecía dispuesta a darle un sitio. ¿Los ratones no tienen acaso fama de ladronzuelos?

«Lo que me temía. Todo el mundo se burla de mí», pensaba Antonia, mientras tocaba la puerta de la casa de Abeja Teresa.

Teresa, que no esperaba ninguna visita, todavía iba de rosa en rosa zumbando acaloradamente.

«Me falta recoger el polen de esta, después el de aquella… a menos que…».

Siempre le sucedía lo mismo cuando llegaba la hora de volver a casa: la abeja se retrasaba y seguía zumbando hasta el último rayo de sol.

Aquella noche ya estaba oscuro cuando regresó. Teresa se disponía a dormir cuando se dio cuenta de que ¡había una ratona acostada en su cama!

La abeja dejó escapar un grito estridente:

—¡Qué horror, una ratona! ¡Hay una ratona en mi cama!

Sobresaltada, Antonia comenzó a decir lo primero que le pasó por la cabeza:

—La buena suerte llama a tu puerta y ha decidido hacer allí su nido… ¡un nido de ratoncita! ¿No es maravilloso, reinita?

—Mmm, sin duda… es una mag… nífica sorpresa —dijo la abeja tosiendo nerviosa para ocultar su confusión—. Nunca me hubiera imaginado ser reina tan pronto.

Una vez recuperada del susto, Teresa, que sin dudar prefería los lazos amarillos a las coronas doradas, y la miel a la jalea real, se acostó en su alfombra de musgo. A la mañana siguiente, cuando apenas amanecía, volvió a su tarea de libar flores en el Jardín, dejando a la ratoncita de la buena suerte al cuidado de la casa.

Antonia Ratona, que jamás había comido tanta miel ni aun en sueños, vivió así en la casa de Abeja Teresa hasta que se marcharon las golondrinas: ¡Feliz como una reina!